zoom

sur les
télécommunications

Hachette Jeunesse
Frédérique de Buron
Directeur

Emmanuelle Massonnaud, Angela Gilles
Éditeurs

Marguerite Cardoso
Secrétariat de rédaction

France Telecom
Karine Dana, Dominique Soudais,
Laurent Simon, Pierre Constantin,
Nathalie Macé, Jean-Pierre Kervern,
Brigitte Cardinaël, Christian Licoppe
et Stéphane Bobinet.

Rédaction
Fabienne Pochart

Infographies
agence WAG

Clément Oubrerie, Sally Bornot,
Laurent Stefano

Luigi Di Girolamo

Maquette
Jérôme Allain

Un grand merci tout particulièrement
à Marc Piard, Philippe Hervé

Crédit photo :
Page 38 : © COMSTOCK

zoom

sur les
télécommunications

HACHETTE
Jeunesse

france telecom

SOMMAIRE

Grâce à l'explosion des nouveaux moyens de communication, notre monde vit une mutation sans précédent depuis l'avènement de l'ère industrielle.

Le foisonnement et la combinaison de ces nouvelles technologies ont déjà profondément changé notre vie quotidienne : l'ère de la communication à deux, de toi à moi, a laissé la place à la communication vers le groupe, vers le monde... Mon envie de te parler ou de t'entendre s'est affranchie de ce fil qui m'arrimait à un lieu figé et obligatoire. Notre manière d'accéder à la connaissance a changé, notre manière de travailler a changé, notre approche du temps et de l'espace a changé...

Demain, la fusion entre le téléphone de la maison, le mobile et Internet donnera naissance à un nouveau système relationnel, ouvrant l'ère du tout convergent qui démultipliera les échanges et élargira le champ des possibles. Plus de liberté, plus d'autonomie, plus de connaissance, moins d'isolement, moins d'enfermement, plus de liens, plus d'échanges, plus de sens : forcément une immense opportunité pour la vie.

Mais cette révolution ne doit laisser personne sur le bord du chemin. A travers cet ouvrage, notre ambition est d'inviter chacun à entrer dans cette nouvelle vie, en éclairant les voies qui mènent à ces nouvelles technologies. Ainsi, ce n'est pas la vie d'un groupe d'initiés qui va changer mais celle de tous. Il y a fort à parier, d'ailleurs, qu'initiés les premiers, maintenant dès l'école, les jeunes internautes joueront le rôle d'éclaireurs pour les autres générations.

Le terme de « télécommunication » a été recensé pour la première fois dans un dictionnaire en 1904. Pourtant, la transmission d'informations à distance est un vieux rêve de l'homme.

Un lien entre les hommes

À l'origine, pour communiquer à distance, l'homme n'avait guère de solutions : le porte-voix, les signaux de fumée ou les signaux lumineux limitaient considérablement la portée et la qualité des échanges. Il fallait trouver un moyen plus efficace pour couvrir une plus longue distance.

L'information à tout prix

La course funeste du messager de Marathon, en 490 av. J.-C., a certes permis de transporter une information sur plus de quarante kilomètres en un temps record, mais elle a aussi mis en évidence les limites de l'homme. On a pensé à le remplacer par des animaux, des machines ou des objets, mais le résultat restait peu probant. La nécessité de créer un lien fiable entre les hommes s'imposait : les télécommunications ont répondu à cette attente.

Littérature et communication

On trouve la première ébauche de la notion de « télécommunication » dans un texte de 1616,

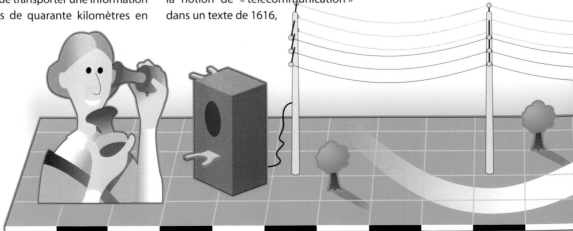

dans lequel le père Strada proposait aux amoureux de s'échanger leurs pensées par l'intermédiaire du magnétisme des boussoles.

Le procédé est irréaliste, mais il révèle le besoin croissant d'une communication discrète et rapide.

Techniques et découvertes

Depuis lors, les techniques les plus insolites ont été utilisées pour permettre de réaliser ce projet. Certains procédés ont été abandonnés, d'autres ont donné naissance à la communication moderne. Ainsi, quand l'Anglais Robert Hooke tendait un fil entre deux cornets, en 1667, il n'imaginait sans doute pas qu'il venait de concevoir l'ancêtre du téléphone. De même, les Parisiens qui assistaient, en 1690, à la première communication par sémaphore au jardin du Luxembourg ignoraient qu'ils étaient les témoins des prémices du télégraphe optique, qui ne serait créé qu'en 1793 par les frères Chappe.

Les grandes étapes des signaux de transmission

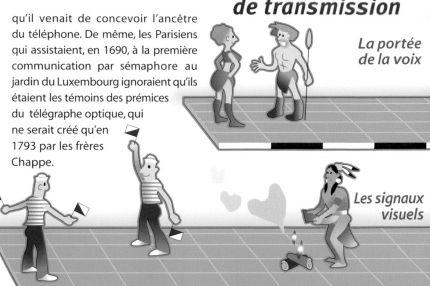

La portée de la voix

Les signaux visuels

Le transport du message

L'invention du fil

7

Un réseau pour
relier les hommes

Une ligne, deux récepteurs et un langage commun sont suffisants pour assurer une communication téléphonique. Sans oublier la fiabilité du réseau, indispensable au développement des télécommunications.

Le développement du réseau télégraphique coïncide avec la modernisation des routes, celui du téléphone avec celle des chemins de fer. Le constat est simple : dès le début du XIXe siècle, on ne pouvait plus se contenter de liaisons entre villages ou entre les grandes villes de province et Paris. Pour se développer, les transports et les communications se devaient d'offrir à leurs clients un accès illimité à l'échelle nationale, mais aussi internationale, .

Dès lors, les connexions entre les lignes télégraphiques ou téléphoniques s'imposaient.

Un réseau efficace

Les chemins de fer offrent sans doute la représentation la plus exacte d'un réseau. Celui-ci est constitué de lignes très fréquentées et d'autres beaucoup moins passantes, moins rentables mais utiles car ce service, public, doit permettre à tous ses usagers, où qu'ils se trouvent, de se rendre en un lieu précis. Certains voyages sont directs, d'autres en revanche nécessi-

tent un rapide changement, c'est-à-dire une « connexion ». Le trajet est plus ou moins rapide, selon que la destination est desservie par un TGV ou un train classique…

Le réseau des télécommunications est comparable, mais au lieu de transporter les hommes, il véhicule leur voix. L'enchevêtrement de lignes connectées entre elles permet la transmission instantanée d'un message, fidèle à l'original, à son destinataire.

L'utilisation combinée des différents supports de transmission et les incessants progrès techniques assurent des échanges de grande qualité dans le monde entier.

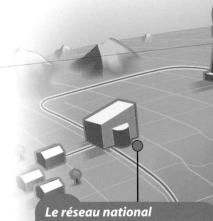

Le réseau national

Il utilise différents supports de transmission. Les faisceaux hertziens demandent une infra-structure légère, mais les relais ne doivent pas rencontrer d'obstacle. Quand la topographie ne permet pas la transmission des ondes, on leur préfère les câbles,et la fibre optique pour les débits d'informations importants.

Le saviez-vous ?

Depuis le 1er janvier 1998, en France, tout opérateur autorisé peut établir et exploiter un réseau de télécommunications ouvert au public et fournir le service téléphonique.

Le central téléphonique

Le central remplace la célèbre opératrice téléphonique. Il trie les communications et en organise le routage. Selon la numérotation, l'appel est dirigé vers le réseau local, national ou international.

Le réseau téléphonique

Le réseau des télécommunications est constitué de différents supports de transmission capables de transporter les informations en n'importe quel endroit de la planète.

La téléphonie mobile

Le téléphone cellulaire transmet les informations par ondes radio. Une contrainte à ce système : les relais doivent se trouver sur des points hauts pour que le signal soit de bonne qualité. La liaison entre un mobile et un poste « fixe » se fait par l'intermédiaire du réseau national.

Le réseau international

Les communications sont transportées par des câbles sous-marins ou transmises par des satellites.

Le réseau local

Il relie l'utilisateur au central téléphonique le plus proche grâce à des câbles aériens ou souterrains.

Le transport
de l'information

Le réseau transporte la voix sous forme d'ondes électromagnétiques. Le signal ainsi transmis est dit analogique, c'est-à-dire qu'il reproduit à l'identique les variations de la voix.

Pour pouvoir être transporté par le réseau, le signal analogique doit avoir une **fréquence** élevée, que n'a pas naturellement la voix. Le signal émis subit donc une modification appelée « modulation ».

Pour arriver à destination, ce signal ne suit pas un chemin unique. Il faudrait pour cela que chaque abonné ait une ligne directe avec chacun de ses interlocuteurs !

Le téléphone, une voix au loin

Dès la fin du XIXe siècle, les « demoiselles du téléphone » furent chargées de relayer les communications. Les premières communications étaient établies

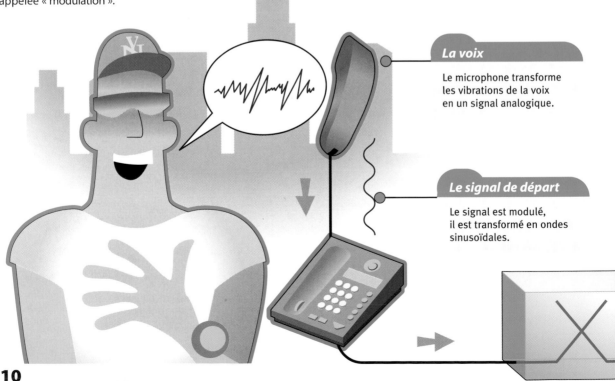

La voix

Le microphone transforme les vibrations de la voix en un signal analogique.

Le signal de départ

Le signal est modulé, il est transformé en ondes sinusoïdales.

manuellement. Une opératrice du central téléphonique était chargée d'établir la connexion.

Mais, dans la seconde moitié du XXᵉ siècle, le téléphone prit une telle place dans la vie quotidienne que le système de transmission des communications se révéla vite inadapté aux besoins. Victimes de ce succès, les opératrices durent céder leur place à des autocommutateurs. Ces derniers ont pour fonction de relayer automatiquement les lignes entre elles, c'est-à-dire d'assurer la connexion d'une ligne avec une autre.

Cette commutation des lignes forme le cœur du réseau téléphonique, elle lui donne d'ailleurs son nom : on parle de RTC, ou Réseau Téléphonique Commuté.

Le défi des longues distances

Dans les débuts du téléphone, on pensait utiliser le réseau électrique pour transporter la voix. Mais les ingénieurs furent rapidement confrontés à des problèmes spécifiques.

La transmission du signal analogique rencontre en effet un obstacle majeur : l'atténuation. Il s'affaiblit tout au long de son parcours. Pour y remédier, des répéteurs ont été installés dans les câbles pour réamplifier le signal. Celui-ci peut alors être transmis sur de longues distances.

Le dico

Fréquence : c'est le nombre de vibrations par unité de temps dans un phénomène périodique. Elle est exprimée en Hertz.
La fréquence de la voix lors d'une communication téléphonique est faible car elle est souvent interrompue par des silences.

Le téléphone, comment ça marche ?

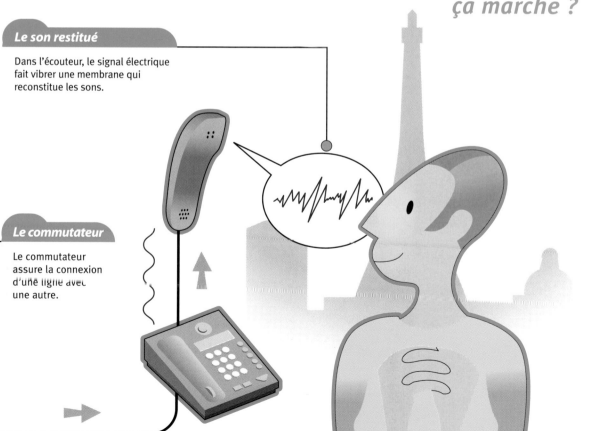

Le son restitué

Dans l'écouteur, le signal électrique fait vibrer une membrane qui reconstitue les sons.

Le commutateur

Le commutateur assure la connexion d'une ligne avec une autre.

La fibre optique

Les premiers câbles étaient de simples fils électriques tendus entre deux poteaux. Mais leur débit se révéla très vite insuffisant. La création des « paires torsadées » (constituée chacune de deux fils de cuivre isolés) et des câbles coaxiaux permit d'obtenir une plus large bande passante, donc d'augmenter de façon considérable le débit d'informations. Depuis 1976, la fibre optique est devenue le support le plus adapté aux transmissions à haut débit.

L'enjeu du XXIᵉ siècle

Le très haut débit est l'enjeu majeur des opérateurs de télécommunications en ce début de XXIᵉ siècle. L'expansion du système numérique, déjà utilisé dans les commutateurs et dans la majorité des récepteurs, requiert une très grande capacité de transmission.

On ne transporte plus alors de la voix, mais des données, du son, des images, sous forme d'un signal binaire. Les quantités d'informations circulant sur le réseau augmentent par conséquent de façon considérable, et les recherches – celles de France Telecom R&D en particulier – portent désormais sur le Vraiment Très Haut Débit (VTHD) pour éviter la saturation du réseau.

Les techniques xDSL, dont l'ADSL (Asymmetric Digital Subscriber Line) est la plus connue, offrent un débit de plusieurs Mbits par seconde. L'intérêt de cette technologie est de se servir d'un support déjà existant – la paire torsadée en cuivre qui relie l'abonné au central téléphonique – mais aussi de reposer sur les infrastructures actuelles du réseau téléphonique. Elle ne nécessite donc des aménagements qu'au niveau des centraux téléphoniques. L'ADSL transforme une ligne téléphonique en une ligne à débit accéléré.

La compression numérique des données ainsi transmises sur le réseau en cuivre offre des débits importants, plusieurs dizaines de fois supérieurs à ceux des meilleurs modems analogiques (voir page 21).

La boucle locale

Dernier maillon du réseau, la « boucle locale » est le fil de cuivre qui relie chacun des 33 millions d'abonnés à un commutateur de France Telecom. Élément stratégique, elle permet l'accès direct aux foyers. Il existe désormais un autre procédé dont le coût est moindre : la boucle locale radio. Elle permet de raccorder directement par voie radio des clients aux réseaux (sans passer par la paire de cuivre).

La numérisation d'un signal analogique

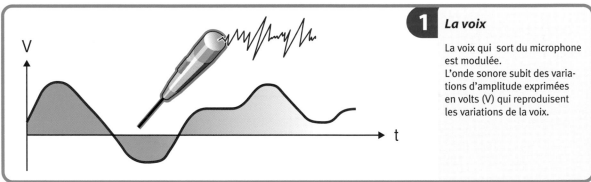

1 La voix

La voix qui sort du microphone est modulée.
L'onde sonore subit des variations d'amplitude exprimées en volts (V) qui reproduisent les variations de la voix.

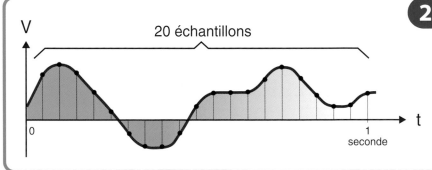

20 échantillons

2 Le signal

L'amplitude du signal est mesurée à intervalles réguliers. Pour que le son restitué soit de bonne qualité, la fréquence d'échantillonnage doit être suffisamment élevée. Ici, elle est de 20 Hz (20 échantillons/s). En réalité, le signal vocal téléphonique est échantillonné à une fréquence de 8 000 Hz.

L'évolution des câbles

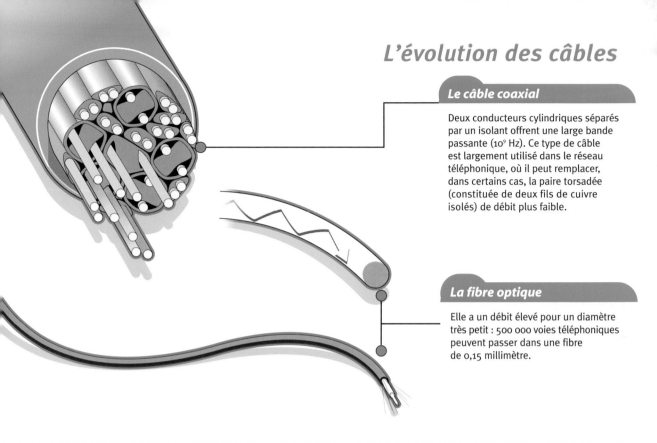

Le câble coaxial

Deux conducteurs cylindriques séparés par un isolant offrent une large bande passante (10^9 Hz). Ce type de câble est largement utilisé dans le réseau téléphonique, où il peut remplacer, dans certains cas, la paire torsadée (constituée de deux fils de cuivre isolés) de débit plus faible.

La fibre optique

Elle a un débit élevé pour un diamètre très petit : 500 000 voies téléphoniques peuvent passer dans une fibre de 0,15 millimètre.

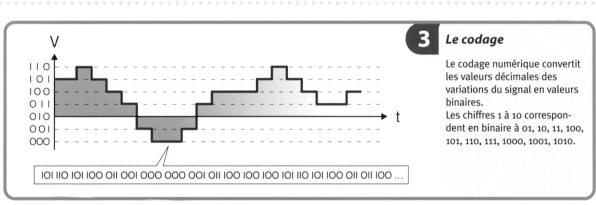

3 Le codage

Le codage numérique convertit les valeurs décimales des variations du signal en valeurs binaires.
Les chiffres 1 à 10 correspondent en binaire à 01, 10, 11, 100, 101, 110, 111, 1000, 1001, 1010.

IOI IIO IOI IOO OII OOI OOO OOO OOI OII IOO IOO IOO IOI IIO IOI IOO OII OII IOO …

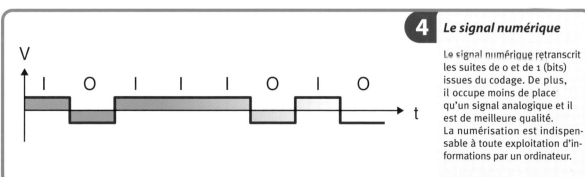

4 Le signal numérique

Le signal numérique retranscrit les suites de 0 et de 1 (bits) issues du codage. De plus, il occupe moins de place qu'un signal analogique et il est de meilleure qualité. La numérisation est indispensable à toute exploitation d'informations par un ordinateur.

Les radio-
communications

Les téléphones sans fil, les cellulaires ou les *pagers* sont devenus des outils indispensables pour l'homme moderne. Ils utilisent pourtant un mode de transmission vieux d'un siècle : les ondes radioélectriques, découvertes par Hertz en 1887.

Les ondes électromagnétiques ont été utilisées dans la TSF (Télégraphie Sans Fil) de l'Italien Guglielmo Marconi en 1894 avant de contribuer à l'essor de la radio et de la télévision.

Le réseau hertzien

Les ondes hertziennes forment également une large part du réseau téléphonique. Elles présentent tout d'abord un incontestable avantage financier, car l'infrastructure mise en place est moins lourde que pour le réseau câblé.

Comme le signal ne s'atténue pas, la pose de répéteurs est inutile.

De plus, grâce à leur longue portée (de quelques dizaines à plusieurs milliers de kilomètres), les relais peuvent être très espacés.

L'autre intérêt de ces ondes est leur résistance aux intempéries. Seules les micro-ondes – les plus courtes que l'on puisse transmettre mais aussi les plus puissantes (500 watts) – sont sensibles à la pluie, aux orages et au vent.

La saturation des ondes radio

Les ondes radio sont une denrée rare. Les stations radio FM, par exemple, ne disposent que des fréquences de 87,5 MHz à 108 MHz qu'elles se partagent car on ne peut pas transmettre deux signaux à la même fréquence sans qu'ils soient tous deux brouillés. Les fréquences disponibles s'étalent de quelques centaines de Hertz à des milliers de mégaHertz (les micro-ondes). La téléphonie mobile a contourné le problème. Par exemple, trois appels A, B et C sont transmis sur une même fréquence (900 MHz) mais ils fonctionnent selon la répartition par temps : le signal numérique A n'est émis que pendant un temps précis, puis un bout du signal de l'appel B est transmis, puis le C, puis le A revient, etc. Une fréquence peut être occupée par plusieurs utilisateurs sans brouillage. La norme GSM tend à interrompre la transmission pendant le silence des interlocuteurs, sans que ces « coupures » soient perceptibles à l'oreille.

Le central

Le centre de commutation des mobiles – un ordinateur très puissant – se charge de transmettre le signal vers le réseau téléphonique. L'appel transite alors par les supports terrestres habituels.

Le téléphone cellulaire ou GSM (Global System for Mobile)

Le GSM est une norme européenne (1992) de transmission numérique pour les téléphones mobiles. La puissance du téléphone cellulaire est de 2 watts et son débit de 9,6 kilobits par seconde, ce qui permet de transporter de la voix. De nouvelles normes (GPRS et UMTS) existent déjà pour transmettre rapidement des données via son mobile.

Le téléphone mobile

Il transmet des ondes radioélectriques à la station relais la plus proche.

Une couverture totale

Si vous quittez une cellule, l'antenne de la cellule dans laquelle vous entrez prend automatiquement le relais. Ainsi, votre communication n'est jamais interrompue.

La tour de relais

La tour de relais assure la transmission et la réamplification du signal.

Les cellules

Les ondes radio n'ont qu'une faible portée, elles sont donc reliées par des antennes relais espacées de quelques dizaines de kilomètres, en pleine campagne, beaucoup moins en ville. Le territoire couvert par chaque relais est appelé une « cellule ». Chaque cellule ne peut assurer qu'un nombre limité de communications.

Le saviez-vous

Les opérateurs de téléphonie mobile Itineris et SFR ont obtenu une nouvelle fréquence pour faire face à la saturation de leurs réseaux. Si le nombre d'appels dans une cellule où la fréquence est de 900 MHz augmentent, les usagers ont alors la possibilité d'utiliser la fréquence 1800 MHz s'ils possèdent un téléphone bi-bande, qui peut passer d'une fréquence à l'autre. Tous les téléphones de dernière génération sont équipés de cette technologie.

L'espace
pour communiquer

ORBITE GÉOSTATIONNAIRE

Le satellite tourne à la même vitesse que la Terre. Il semble être immobile par rapport à celle-ci. On dit alors qu'il est stationnaire. Ce phénomène se produit à une seule altitude – 36 000 km –, celle de l'orbite géostationnaire. Dès qu'un satellite se trouve à une autre altitude, il bouge par rapport à la Terre et son champ d'action se déplace avec lui.

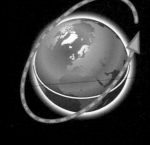

ORBITE ELLIPTIQUE INCLINÉE

Le premier satellite de télécommunications expérimental, Telstar 1, a été lancé par la NASA en 1962 suivant cette orbite.
Si les premiers satellites ont été placés en orbite basse, c'est parce que, à l'époque, les lanceurs n'étaient pas assez puissants pour les faire atteindre l'orbite géostationnaire.

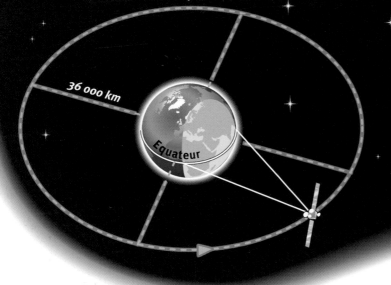

36 000 km

Equateur

Les satellites jouent un rôle prédominant pour le téléphone, en télévision directe et en diffusion de programmes de télévision et de radio, mais aussi en navigation et en services pour les mobiles.

Le premier satellite géostationnaire, SYNCOM, fut lancé en 1964. Il marqua un net progrès par rapport au début des télécommunications par satellite aux États-Unis avec la série des satellites TELSTAR. L'intérêt majeur du satellite géostationnaire réside, d'une part, dans le fait qu'il est immobile par rapport à la Terre, d'autre part, dans le fait que trois ou quatre satellites sur l'orbite géostationnaire suffisent à offrir une couverture globale et permanente de la Terre. Les transmissions par satellite sont devenues un enjeu considérable pour les opérateurs.

Les orbites des satellites

Depuis une cinquantaine d'années, l'homme a investi l'espace. Satellites militaires et civils, de télécommunication, de télévision ou de météorologie se partagent le ciel. Leurs fonctions sont diverses, leur orbite et leur altitude aussi. Le classique satellite géostationnaire voit aujourd'hui sa suprématie contestée.

DE L'ORBITE À LA CONSTELLATION POLAIRE

L'orbite polaire passe au-dessus de chacun des pôles. Un satellite positionné sur cette orbite se déplace par rapport à la Terre. Pour assurer une couverture globale et permanente de l'orbite, plusieurs satellites sont placés les uns derrière les autres. Et lorsqu'un satellite avance, le suivant prend le relais. Si on assimile la Terre à une orange, on réalise ainsi la couverture d'un quartier. Pour couvrir la planète, on place autant d'orbites polaires que de quartiers pour l'orange. Dans ce cas, on nomme les orbites « plan ».

Nord

Sud

Les satellites, usages et missions

Les satellites, géostationnaires ou en constellation défilante, ont le pouvoir de couvrir une large surface sur la Terre, ce qui en fait des outils indispensables pour les télécommunications car ils permettent de s'affranchir de la distance. Un satellite géostationnaire placé au-dessus de l'océan

Le saviez-vous

Des constellations de satellites seront également utilisées pour le transport de données à haut débit afin de proposer des liaisons Internet et des services interactifs plus performants. Teledesic et Skybridge devraient ainsi être mis en service vers 2002.

ORBITE BASSE (LEO)
Low Earth Orbit

Le satellite est situé entre 700 et 2 400 kilomètres d'altitude. Le temps de réponse est très rapide.

2 000 KM

10 000 KM

ORBITE INTERMÉDIAIRE (MEO)
Medium Earth Orbit

Son altitude varie de 10 000 à 21 000 kilomètres. Le temps de réponse est moyen.

CEINTURE D'ASTÉROÏDES

ORBITE GÉOSTATIONNAIRE

Le temps de réponse est de l'ordre d'une demi-seconde. Ce satellite n'est donc utilisé que pour les liaisons de télévision et certaines liaisons téléphoniques.

36 000 KM

LA LUNE

est à 384 000 KM de la Terre.

Atlantique permet de relier l'Europe au continent nord-américain.

Ainsi, les satellites sont utilisés comme support aux liaisons internationales en concurrence avec les câbles sous-marins pour la traversée des océans. Ils permettent de raccorder entre eux différents réseaux nationaux, qu'ils soient historiquement de téléphonie, de données ou même récemment Internet.

Grâce aux satellites, on diffuse des programmes du monde entier vers une multitude de clients, d'où le succès de la télévision par satellite.

Enfin, ils permettent d'atteindre les lieux isolés ou dépourvus d'infrastructure terrestre.

Cette capacité à être présent partout, en particulier là où les réseaux terrestres ne vont pas, fait du satellite un atout majeur pour les télécommunications avec les mobiles. C'est ainsi que le début des années 1990 a vu naître plusieurs projets de système de mobiles par satellite.

La distance, un problème essentiel

Après avoir reçu le signal, c'est-à-dire des ondes radio, le satellite l'amplifie puis le répercute dans une zone géographique donnée. Ce qui pose le problème de la distance : plus le satellite est loin, plus le trajet aller-retour de l'onde est long. Si les progrès technologiques ont permis d'augmenter considérablement le nombre de canaux disponibles pour les transmissions téléphoniques, le problème du temps de réponse des satellites géostationnaires reste entier, surtout dans l'optique du développement d'un réseau mobile performant.

Pour des communications mobiles avec des téléphones portatifs de petite

Le système Globalstar™

taille, les satellites à orbite basse ont été au début des années 1990 la seule solution. Aujourd'hui, les satellites géostationnaires peuvent être équipés d'antennes d'environ 10 mètres de diamètre, qui autorisent les communications mobiles par satellite avec des petits téléphones.

Les constellations

Dès lors se pose un autre problème. Si les satellites sont placés à une orbite plus basse, ils couvrent un territoire moins important, d'où la nécessité de lancer une constellation, c'est-à-dire un ensemble de satellites placés en différentes orbites à égale distance les uns des autres. Plus l'altitude est basse, moins la couverture est grande et plus le nombre de satellites est élevé.

Ainsi, Iridium, constellation construite par Motorola, est constituée de 66 satellites en orbite polaire. Mais cet ambitieux projet connaît quelques difficultés depuis son ouverture en novembre 1998. Pour utiliser ce type de réseau, le client doit disposer d'un terminal bi-mode satellite/cellulaire, un peu plus gros qu'un terminal GSM, qui lui permet de se connecter partout dans le monde. Toutefois, les

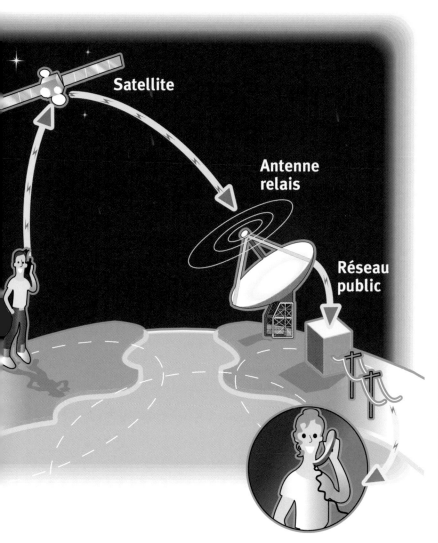

Satellite

Antenne relais

Réseau public

Comment ça marche ?

Dans le système Globalstar™, les satellites sont de simples relais entre le terminal et une station de connexion qui effectue le raccordement de la communication au réseau public.

Ainsi, chacun peut joindre, depuis le téléphone de son domicile, un abonné Globalstar™ en voyage, qu'il soit en mer ou dans le désert. La particularité de cette constellation est d'offrir la plupart du temps, en un endroit donné, l'accès à deux ou trois satellites.

Ceci permet en cas d'obstacle (arbre, bâtiment, etc.) vers un satellite de relayer l'appel vers les autres satellites et de garantir un très bon service.

Le saviez-vous

Initiée par France Telecom et Alcatel, Globalstar™, constellation en orbite basse, est opérationnelle depuis fin 1999. Elle comprend 48 satellites qui tournent autour de la terre à 1 414 kilomètres d'altitude, couvrant ainsi 80 % de la surface du globe, à l'exception des pôles. Pour cela, six satellites sont disposés sur chacune des huit orbites circulaires inclinées. Globalstar™ fournit un service de téléphonie mobile par satellite : elle transmet de la voix, mais aussi des télécopies et des données.

---

communications coûtent cher. En revanche, les constellations comme Globalstar™, par des tarifs plus attractifs et une meilleure qualité, devraient permettre à une population plus large de bénéficier du téléphone par satellite.

Le défi de Globalstar™ : l'itinérance mondiale

Le système de télécommunications par satellite Globalstar™ a été conçu pour être complémentaire des réseaux de téléphonie mobile terrestre. L'utilisateur peut être joint sous les couvertures cellulaires et satellites avec un seul numéro d'appel. Il lui suffit de s'équiper d'un terminal multimode qui se connecte au réseau terrestre cellulaire ou au système Globalstar™.

Cette constellation devrait permettre aux régions sous-équipées du globe, en particulier les régions rurales, d'être enfin désenclavées grâce à des cabines reliées à des antennes satellites.

Internet par satellite

Pour permettre l'accès rapide au réseau des réseaux, plusieurs projets d'Internet par satellite, en orbite géostationnaire ou basse, voient le jour en Europe et aux États-Unis. Des plus actuels (ARCS de ASTRA) aux plus ambitieux (Skybridge d'Alcatel), ils offriront des connexions à haut débit au Net à travers une parabole de quelques centimètres de diamètre connectée à un ordinateur ou à un téléviseur par un boîtier de raccordement.

Internet,
tous branchés

L'Internet bouleverse bien des habitudes en offrant aux utilisateurs la possibilité de voyager par de multiples voies sur les autoroutes de l'information et d'y accéder par de nombreux outils tels que les ordinateurs, téléviseurs, téléphones mobiles ou « fixes ».

Internet, c'est un réseau d'échange entre ordinateurs destiné à transporter des données numériques.

Il utilise le réseau téléphonique, le câble, la fibre optique à haut débit ou le satellite, par l'intermédiaire d'un modem et d'un fournisseur d'accès Internet (FAI).

Premiers échanges

Dans les années 1950, en pleine guerre froide, l'armée américaine créa l'ARPA (Advanced Research Project Agency), agence destinée à la recherche technologique, et lui confia le soin de fonder un réseau informatique fiable.

Au fil du temps, le réseau se développa, les chercheurs le récupérèrent et mirent au point en 1969 l'ARPAnet, ancêtre d'Internet, pour échanger des fichiers scientifiques.

Les premiers échanges entre deux ordinateurs eurent d'ailleurs lieu entre les universités de Los Angeles et de Stanford, vite rejointes par celles de Santa Barbara et de l'Utah qui formèrent ainsi les premiers nœuds de connexion.

Internet,
la star des années 1990

La naissance d'Internet n'est effective qu'en 1975, lorsque les ingénieurs Robert Kahn et Vinton Cerf mettent en pratique leur théorie sur les protocoles (A Protocol for Packet Intercommunication) publiée en 1974. Ainsi, pour que deux ordinateurs dialoguent entre eux, ils doivent parler le même langage. Or, jusqu'à cette date, les différents réseaux disséminés en Amérique du Nord (RPnet et en Europe (SATnet) avaient des protocoles différents. Robert Kahn et Vinton Cerf ont donc mis au point le TCP, protocole commun à tous ces réseaux. C'est grâce à lui qu'Internet a connu un tel succès et est devenu le réseau des réseaux. Mais il faut attendre les années 1990 pour voir Internet pénétrer dans les entreprises et les foyers. Son essor, tant au point de vue technologique qu'économique, a été depuis fulgurant.

L'ordinateur personnel

Il est équipé d'un logiciel de navigation. Il vous met en relation avec le fournisseur d'accès Internet à travers le modem et la ligne téléphonique ou le câble.

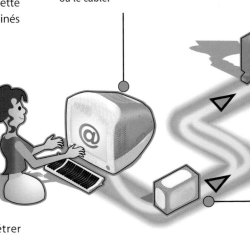

L'accès à Internet

Le réseau Internet utilise le réseau téléphonique ou câblé (fibre optique, satellites de communication…).

Le serveur

Le serveur permet d'établir une passerelle entre l'utilisateur et le réseau Internet. Il gère aussi le courrier électronique.

Le modem

Le signal numérique de l'ordinateur y est modulé pour pouvoir être transporté dans le réseau téléphonique. Les messages (signaux) réceptionnés sont « démodulés » : ils sont transformés en données numériques.

Le saviez-vous

En un an, le nombre d'internautes français a doublé : il est passé de 5,5 % en 1998 à 10,7 % en 1999. Cette progression devrait continuer en 2000 pour atteindre les 16 %. La France accuse un certain retard en comparaison des autres pays européens : 32 % de connectés en Hollande, 22 % en Allemagne, 18 % en Grande-Bretagne, etc.

21

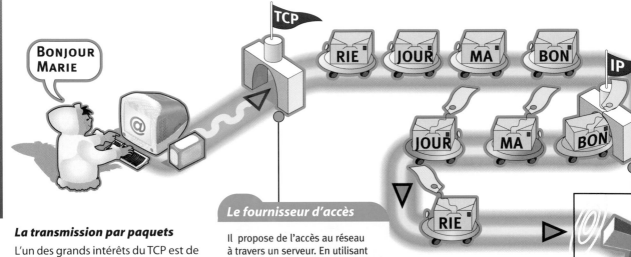

La transmission par paquets

L'un des grands intérêts du TCP est de transporter les données par paquets. Si l'un des nœuds de connexion (ou routeur) ne fonctionne pas, la partie du message qui n'a pas abouti est de nouveau envoyée.

Sans cette particularité, Internet serait peu fiable. On considère que la moitié des messages transportés sont « recomposés ». Ce transport par paquets induit un délai peu gênant pour la transmission de données, mais il est préjudiciable au développement du téléphone et de la télévision par Internet. En effet, lorsqu'un routeur intermédiaire informe l'émetteur qu'il est indisponible, et qu'il doit prendre un autre chemin, la transmission est retardée. L'assemblage du message peut nécessiter plusieurs secondes, alors qu'une transmission téléphonique ne souffre qu'un délai de quelques millisecondes !

Vers le temps réel

Ce problème sera résolu à deux conditions : que les débits soient plus importants, et que le protocole d'Internet s'adapte à la demande de « temps réel ».

Le fournisseur d'accès

Il propose de l'accès au réseau à travers un serveur. En utilisant des câbles à très haut débit, il peut fournir de nombreux ordinateurs-clients en même temps.

Les hauts débits

Si le réseau téléphonique assure parfaitement le transport de la voix, il rencontre parfois des difficultés à convoyer d'importantes masses de données. L'utilisation de fibres optiques (les données numériques sont déjà transportées sans modem dans les réseaux de fibre optique d'entreprise) et de liaisons par satellite devrait permettre d'atteindre des très hauts débits.

Un protocole nouvelle génération

Mais les hauts débits ne suffiront pas à transmettre des données en temps réel, le protocole IP doit changer. Il devrait bénéficier des études menées sur le protocole ATM (Asynchronous Transfer Mode) – le successeur de Numéris. Ce protocole multimédia, qui a été conçu par France Telecom R&D, utilise des cellules de très petite taille fixe pour transporter les flux d'information.

Le protocole TCP/IP

TCP est la partie du protocole qui découpe le message en paquets dans un ordre aléatoire.
IP attribue à chaque paquet une étiquette appelée « datagramme » et un numéro.

Le saviez-vous

Internet compte 150 millions d'utilisateurs dans le monde. Ce chiffre devrait doubler à la fin de l'année 2000. Pour faire face à ce développement, le nombre d'adresses IP disponibles doit augmenter. France Telecom avait anticipé la demande croissante en téléphonie en passant à la numérotation à dix chiffres : de même, Internet devra intégrer un nouveau protocole, le IPv6, pour allonger les adresses.

Le transport par paquets

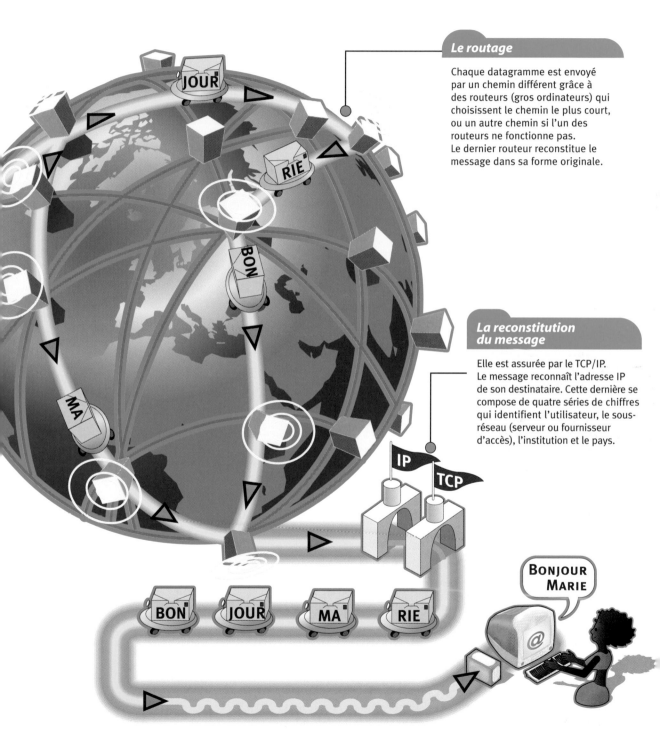

Le routage

Chaque datagramme est envoyé par un chemin différent grâce à des routeurs (gros ordinateurs) qui choisissent le chemin le plus court, ou un autre chemin si l'un des routeurs ne fonctionne pas.
Le dernier routeur reconstitue le message dans sa forme originale.

La reconstitution du message

Elle est assurée par le TCP/IP. Le message reconnaît l'adresse IP de son destinataire. Cette dernière se compose de quatre séries de chiffres qui identifient l'utilisateur, le sous-réseau (serveur ou fournisseur d'accès), l'institution et le pays.

23

Le téléphone intelligent

Un téléphone qui pense à votre place ? C'est possible... ou presque. S'il ne peut se substituer au cerveau humain, il s'impose comme un assistant efficace de la vie quotidienne.

L'intelligence du téléphone, c'est sa capacité à proposer de multiples services pour répondre aux besoins des consommateurs.

Les services

Nous connaissons et utilisons depuis de nombreuses années les numéros verts, gratuits, pour obtenir des informations d'utilité publique (concernant, entre autres, la santé) ou commerciales. Les numéros audiotel (08 36…) ont apporté une nouveauté : l'assistance vocale interactive.

Grâce à un programme informatique, les réponses données sous forme de chiffres orientent l'interlocuteur vers le renseignement désiré. Mais la grande révolution des services a été initiée par la téléphonie mobile.

Les kiosques offrent un large choix de numéros qui établissent une liaison directe avec des services de météo, de voyages ou de téléguidage.

Ainsi, des ingénieurs français ont créé une technologie suivant le concept de « village dans la poche ».

En sortant du cinéma, à Paris, vous avez envie d'aller dîner, et vous consultez la rubrique « Restaurants » de votre mobile. Le message envoie par ondes radio votre positionnement (longitude et latitude) à votre opérateur.

Les réponses fournies par votre téléphone ne concernent alors que les établissements de l'arrondissement où vous vous trouvez. Vous pourrez même visionner leurs menus.

Le WAP

La technologie WAP (Wireless Application Protocol) permet d'afficher des images Internet sur l'écran d'un téléphone mobile. Ce protocole, né en 1997, convertit les pages Web dans un format adapté à la taille d'un écran de mobile.

On accède ainsi à un certain nombre de sites présélectionnés qui remplacent parfois les kiosques vocaux.

Surfer sur Internet via les mobiles n'est pas encore possible car leur débit est insuffisant (9,6 kbits/s contre 56,6 kbits/s pour un modem actuel), mais cela devrait devenir réalité dès 2002.

Agenda

Vous aviez oublié l'anniversaire de Léa ? L'agenda de votre mobile se charge de vous le rappeler par une sonnerie et un message. Il est le complément du répertoire, véritable pense-bête où sont stockés tous les numéros de téléphone de vos amis.

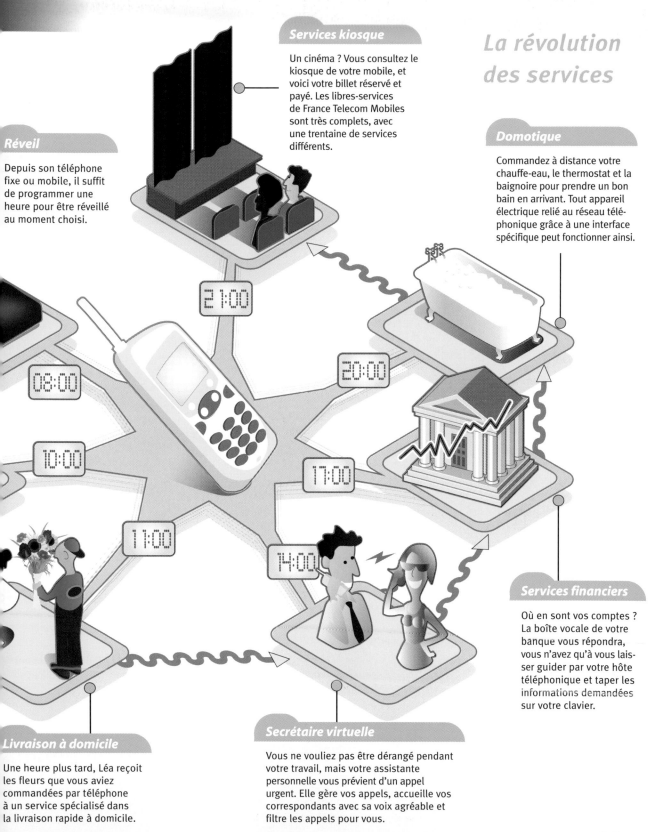

Services kiosque

Un cinéma ? Vous consultez le kiosque de votre mobile, et voici votre billet réservé et payé. Les libres-services de France Telecom Mobiles sont très complets, avec une trentaine de services différents.

La révolution des services

Réveil

Depuis son téléphone fixe ou mobile, il suffit de programmer une heure pour être réveillé au moment choisi.

Domotique

Commandez à distance votre chauffe-eau, le thermostat et la baignoire pour prendre un bon bain en arrivant. Tout appareil électrique relié au réseau télé-phonique grâce à une interface spécifique peut fonctionner ainsi.

Services financiers

Où en sont vos comptes ? La boîte vocale de votre banque vous répondra, vous n'avez qu'à vous lais-ser guider par votre hôte téléphonique et taper les informations demandées sur votre clavier.

Livraison à domicile

Une heure plus tard, Léa reçoit les fleurs que vous aviez commandées par téléphone à un service spécialisé dans la livraison rapide à domicile.

Secrétaire virtuelle

Vous ne vouliez pas être dérangé pendant votre travail, mais votre assistante personnelle vous prévient d'un appel urgent. Elle gère vos appels, accueille vos correspondants avec sa voix agréable et filtre les appels pour vous.

Minitel :
le précurseur

La banque

Commander un chéquier, vérifier ses comptes, faire un virement ou des opérations boursières... Tous les établissements bancaires proposent ces services par Minitel, souvent sur le 3614.

Conçu à l'origine pour remplacer l'annuaire téléphonique, le Minitel a marqué l'entrée de la France dans la télématique, l'union du téléphone et de l'informatique.

Le premier annuaire électronique a été expérimenté à Saint-Malo en 1980. Un an après, le Minitel faisait son apparition à Vélizy.

Comment ça marche ?

La composition d'un numéro (3615, 3614, etc.) met en relation le terminal fourni par France Telecom à un serveur. La transmission passe par le réseau téléphonique, puis arrive au PAVI (Point d'Accès Videotex), un puissant ordinateur qui distribue ensuite les demandes aux différents serveurs (météo, banque, annuaire, jeux...) grâce au réseau TRANSPAC.

La révolution des services

Les Français découvrent alors une nouvelle forme de communication qui tend à leur offrir un confort optimal. Il n'est plus nécessaire de se déplacer, ni d'attendre l'ouverture d'un magasin ou d'un bureau. De plus, la requête est enregistrée immédiatement, le délai du courrier disparaît. La multitude de services (information, jeux, messagerie, commandes, administration) proposés par le Minitel permet de tout faire (ou presque) sans

bouger de chez soi. Cet accès à l'interactivité, qui semble aujourd'hui banal, a provoqué une petite révolution dans les années 1980.

L'avenir du Minitel

Malgré la concurrence d'Internet, le Minitel reste indispensable et bien des services ne sont encore accessibles que par ce moyen. Les administrations, par exemple, apprécient sa facilité d'utilisation et la confidentialité des échanges qu'il propose au plus grand nombre. L'un des grands atouts du Minitel – et celui qui assure sa pérennité – est d'être largement répandu dans la population française (5,6 millions de Minitels en France aujourd'hui, des milliers de points de consultation), alors que l'équipement en ordinateurs personnels est encore assez faible. Il est simple, pratique et bon marché. Le Minitel a su s'adapter à l'évolution de la demande et à l'apparition de nouvelles technologies. Après s'être intégré au téléphone et au fax, il offre désormais l'accès à la messagerie Internet (Minitelnet). L'annuaire électronique est le service le plus consulté par les internautes.

Les loisirs

Jeux, consultation du programme des cinémas, théâtres, concerts, participation à des débats télévisés ou radiophoniques, consultation d'informations (météo, trafic routier, tourisme, etc.) : organisez vos loisirs à votre convenance.

L'administration

Toutes les démarches sont possibles et parfaitement sécurisées puisque vous disposez d'un code d'accès personnel grâce auquel vous pouvez mettre à jour vos dossiers administratifs, vous informer auprès du Trésor public, consulter les offres de l'ANPE, etc.

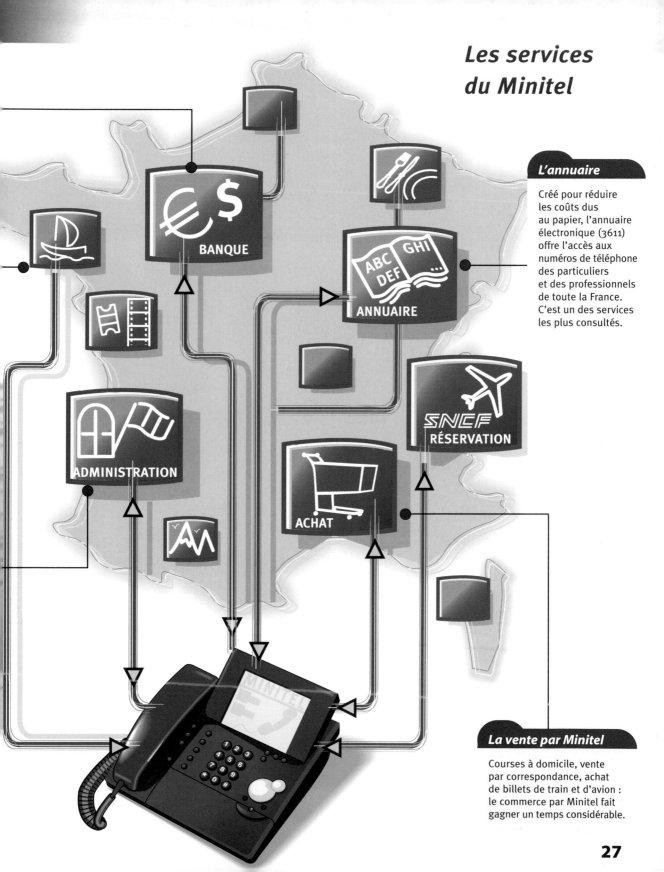

Les services du Minitel

BANQUE

ANNUAIRE
ABC DEF GHI ...

ADMINISTRATION

ACHAT

SNCF RÉSERVATION

MINITEL

L'annuaire

Créé pour réduire les coûts dus au papier, l'annuaire électronique (3611) offre l'accès aux numéros de téléphone des particuliers et des professionnels de toute la France. C'est un des services les plus consultés.

La vente par Minitel

Courses à domicile, vente par correspondance, achat de billets de train et d'avion : le commerce par Minitel fait gagner un temps considérable.

Surfer
sur Internet

Le Minitel nous a initié à l'interactivité, Internet nous ouvre les portes du monde et du multimédia à travers ses quatre grandes applications que sont le Web, les forums de discussion et Chat, le FTP et le courrier électronique.

Grâce au Réseau, nous pouvons voyager sur les autoroutes de l'information et apporter notre contribution aux grands débats de la planète ainsi qu'à son économie. L'atout d'Internet ? Son interactivité. Ainsi, l'internaute est un acteur qui participe à la vie de la Toile. Son point fort ? Construire une passerelle vers le monde pour tous, y compris ceux que la position géographique, l'économie, la guerre ou le handicap isole.

Le Web

Le World Wide Web, gigantesque marché de l'information, est sans conteste l'application la plus connue d'Internet, mais aussi la plus récente. C'est en 1990, soit près de vingt ans après la création d'Internet, que Tim Berners-Lee, chercheur au CERN, imagine un système qui permet de mettre des documents à la disposition de tous, de consulter facilement des informations (textes, images, sons) et de naviguer librement entre elles. La lecture des pages Web ne se fait pas de façon linéaire. Pour trouver une information, un simple clic sur un mot du fichier peut y renvoyer directement grâce aux liens hypertexte (mots signalés par une couleur et/ou un soulignement : ils comportent une instruction invisible qui contient l'adresse de l'information à afficher). L'utilisation de ces liens permet de se promener en toute liberté dans les pages d'un site ou d'un site à l'autre. Cette nouvelle méthode de consultation de données – la navigation – a donné naissance aux premiers navigateurs, parmi lesquels Internet Explorer et Netscape Communicator sont les plus connus.

Des bibliothécaires hors norme

Depuis sa création, le Web connaît un succès considérable, car il est la première plate-forme d'expression libre offerte à tous. S'il était, au début, essentiellement consacré à des échanges d'idées et d'informations scientifiques, les entreprises ont vite compris l'intérêt qu'elles pouvaient y trouver en terme d'image de marque et de clientèle potentielle. Les particuliers y ont trouvé un espace d'expression et même de création avec des « pages perso » sur leurs hobbies par exemple.

> ### Surfer sur le Web
>
> Le Web se compose de sites, ou pages Web, créés par des organisations, des entreprises ou des particuliers. On peut les visiter en tapant directement leur adresse URL ou en faisant appel aux répertoires et aux moteurs de recherche.

Les applications d'Internet

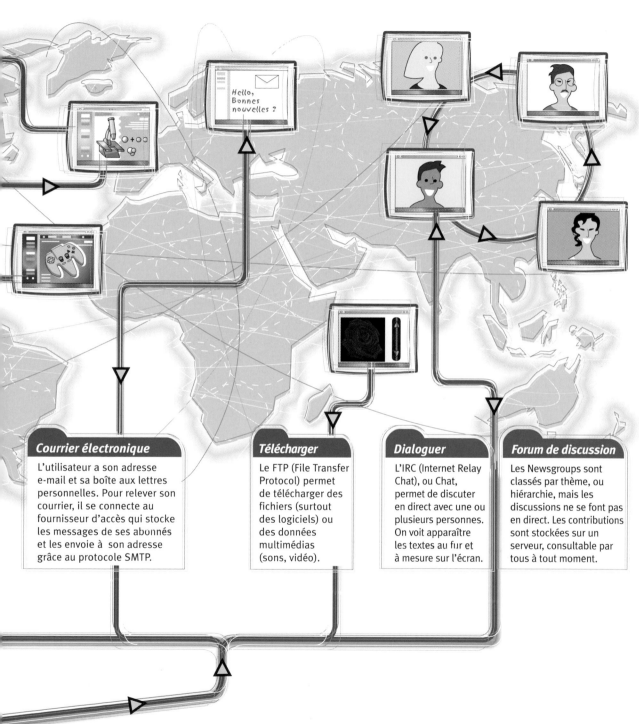

Courrier électronique

L'utilisateur a son adresse e-mail et sa boîte aux lettres personnelles. Pour relever son courrier, il se connecte au fournisseur d'accès qui stocke les messages de ses abonnés et les envoie à son adresse grâce au protocole SMTP.

Télécharger

Le FTP (File Transfer Protocol) permet de télécharger des fichiers (surtout des logiciels) ou des données multimédias (sons, vidéo).

Dialoguer

L'IRC (Internet Relay Chat), ou Chat, permet de discuter en direct avec une ou plusieurs personnes. On voit apparaître les textes au fur et à mesure sur l'écran.

Forum de discussion

Les Newsgroups sont classés par thème, ou hiérarchie, mais les discussions ne se font pas en direct. Les contributions sont stockées sur un serveur, consultable par tous à tout moment.

En février 1999, le nombre de sites – de particuliers, d'entreprises, ou d'organismes officiels – était estimé (sans doute sous-estimé) à 800 millions. On comprend d'autant mieux la nécessité d'avoir recours à des outils de recherche sans lesquels le Web ressemblerait à une gigantesque bibliothèque où les livres seraient archivés sans aucun classement ! Difficile alors de retrouver rapidement un ouvrage.

Heureusement, le Web a aussi ses bibliothécaires, les répertoires (ou annuaires) de recherche. Ils sont établis par des experts qui sillonnent le Web et classent les sites par thème.

Les moteurs de recherche

Les moteurs de recherche, tels Voila sont de puissants ordinateurs qui indexent le texte des pages de sites Web. La masse d'informations traitée est plus importante que celle des répertoires, mais la capacité de sélection d'un ordinateur reste inférieure à celle d'un humain. C'est pourquoi la requête sur un moteur de recherche doit être précise, c'est-à-dire contenir au moins trois mots clés.

On peut également utiliser des métamoteurs qui effectuent la même recherche sur différents moteurs et synthétisent les réponses de chacun d'eux.

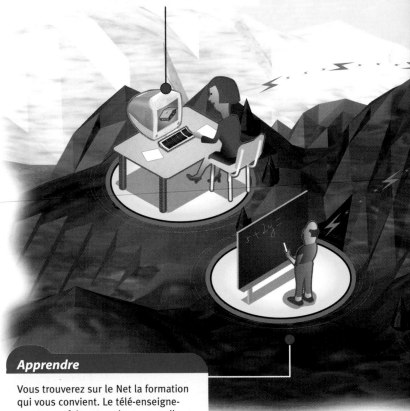

Les échanges

L'éloignement entre le donneur d'ordres et la personne chargée de la réalisation d'une tâche n'est plus un handicap. L'amélioration des modes de compression pour le transfert des données permet une communication très rapide.

Apprendre

Vous trouverez sur le Net la formation qui vous convient. Le télé-enseignement vous fait entrer dans une salle de classe par le biais d'une caméra et d'un micro.

Le téléchargement

Si le Web est une sorte de « libre-service » de l'information, on peut considérer le FTP (File Transfer Protocol) comme sa réserve. C'est un service consacré au téléchargement, c'est-à-dire au transfert à distance de fichiers (ou d'informations qui ont été supprimées mais restent disponibles dans le « stock » des fichiers FTP) et de logiciels. Vous utilisez le FTP dès que vous cliquez sur

l'option « télécharger maintenant ». Vous pouvez y trouver, entre autres, les mises à jour des navigateurs, des systèmes antivirus, des logiciels ou des extraits vidéos. Le téléchargement est facilité par la compression des fichiers, qui rend l'opération plus rapide.

Il suffit d'avoir un logiciel de décompression (disponible sur Internet) sur son ordinateur pour lire le fichier. Cette technique permet notamment

d'accélérer l'acheminement de vidéos et de photos qui sont des fichiers « lourds », c'est-à-dire que le nombre de bits nécessaires lors de leur numérisation est très important.

Le FTP permet également d'envoyer des fichiers sur des sites à distance. Pour cela, il faut avoir un log-in (code d'accès attribué par votre serveur) et un mot de passe, indispensables pour se connecter sur le serveur FTP.

Le télétravail

Internet est l'outil idéal des travailleurs à domicile. Grâce à un ordinateur multimédia, ils ont accès à toutes les informations utiles pour l'exercice de leur activité.

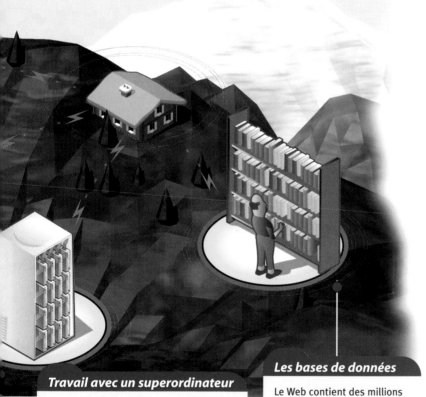

Travail avec un superordinateur

Votre ordinateur n'est pas assez puissant pour effectuer certaines opérations ? Connectez-vous à des superordinateurs qui mettent à votre disposition une partie de leur mémoire.

Les bases de données

Le Web contient des millions d'informations. Il permet aussi de consulter les catalogues de bibliothèques, les travaux de recherche universitaire, de télécharger certains livres.

Chat et Newsgroups

L'IRC (Internet Relay Chat), connu sous le nom de Chat, et les Newsgroups (Usenet, réseau de tous les forums) sont deux moyens de communiquer par voie électronique. Selon vos préférences, vous choisirez la hiérarchie « comp. » (informatique), « sci. » (sciences), « soc. » (débats sociologiques), « talk. » (divers), « misc. » (inclassable), « rec. » (loisirs) ou « news. » (discussions sur les Newsgroups et Internet). Votre réflexion enrichira le débat auquel participent des personnes du monde entier sur un même sujet et vous vous exercerez à l'interactivité absolue.

Le courrier électronique

Les échanges les plus fréquents sur Internet se font par courrier électronique (ou e-mail). Il abolit les contraintes de temps et d'espace : on peut laisser un message à un ami à l'autre bout de la planète sans se soucier du décalage horaire, joindre des fichiers texte, son ou image au message. L'e-mail est devenu le partenaire privilégié des télétravailleurs et des voyageurs car le courrier est consultable de n'importe quel ordinateur. Il suffit d'entrer son mot de passe personnel pour interroger le serveur qui stocke les messages.

Les jeux en ligne

Il existe sur Internet des lieux, notamment GOA (www.goa.com), où se livrent des tournois sans merci. Ces salles de jeux virtuelles permettent à des joueurs d'affronter d'autres passionnés de Duke nukem, Age of empire ou Moto racer… Ces jeux en réseau abolissent les distances et permettent aussi aux participants d'échanger des points de vue, des conseils etc.

Le saviez-vous

Craignant la mainmise sur le Web, Tim Berners-Lee créa le W3C (World Wide Web Consortium) le 1er octobre 1994 au MIT (Massachusetts Institute of Technology). Le W3C est chargé de vérifier que le Web reste indépendant, conformément à la volonté de ses inventeurs.

Jon Postel, l'un des fondateurs d'Internet, veillait à l'attribution des adresses URL. Sa mort, en 1998, a mis en péril la neutralité de ces assignations. Celles-ci font de plus en plus l'objet d'un commerce lucratif. Certains achètent une grande quantité d'adresses susceptibles d'intéresser à l'avenir des sociétés. Comme une adresse URL est unique, ces dernières devront les racheter à leur propriétaire.

Quand Internet
se met à la page...

Si vous faites partie des boulimiques qui passent des heures connectés au Réseau, l'envie de créer votre propre site vous démange. Suivez le guide !

Concevoir son site

Il est nécessaire de se poser différentes questions : quelles informations, quelles images, pour quel public ? Comment présenter et enrichir le contenu du site ? Existe-t-il des sites similaires ? Si oui, que puis-je apporter de nouveau ?

Internet instaure une nouvelle dimension : l'interactivité n'existe plus seulement entre un particulier et une entreprise ou une institution, mais aussi entre particuliers. Désormais, l'individu lambda peut choisir de s'adresser au monde, de réagir et d'agir en direct, même d'écrire un livre et de l'installer sur un site Internet. Son lectorat potentiel n'est plus un pays, mais la planète. Il peut aussi lancer une pétition, contre la guerre par exemple, et recueillir des millions de signatures... Internet n'est pas seulement un prestataire de services universel, c'est aussi un formidable moyen d'expression.

De la conception à la réalisation

La création d'un site ne nécessite pas de connaissances informatiques particulières, pas même le langage HTML. On trouve sur le Web des logiciels gratuits ou bon marché, faciles à utiliser (enfin presque), qui guideront vos premiers pas pour réaliser vos pages Web et créer les liens hypertexte

indispensables à une bonne navigation. Beaucoup de rigueur et des idées sont toutefois nécessaires... Plus votre site sera clair, bien documenté, suffisamment fourni en images, plus vous aurez de chances qu'il soit visité. Une fois votre site réalisé, comment le mettre en ligne ? Rien de plus simple. Aujourd'hui, les fournisseurs d'accès incluent dans leur forfait l'hébergement de pages sur leur serveur. Suivez simplement leurs instructions.

Internet dans les écoles

Depuis quelques années, les écoles intègrent de plus en plus Internet dans les cours. Certaines d'entre elles ont même créé des sites où l'on trouve le récit et les photos de leurs voyages scolaires, les meilleures récitations, leurs comptines préférées, le résumé d'un dessin animé, mais aussi des liens avec une autre école et des réflexions plus sérieuses sur leur environnement. Un exemple à suivre pour qu'Internet reste un espace de découvertes et d'échanges...

Dessiner le plan du site

Dès cette étape, il faut organiser la progression du visiteur dans le site et imaginer les liens hypertexte indispensables.

Fabriquer et tester son site

Après avoir fait traduire votre site en langage HTML, lisible par tous les ordinateurs, vérifiez que chaque lien renvoie à une partie du site et que l'affichage s'effectue bien sur les deux principaux navigateurs. Il vaut mieux faire des modifications à ce stade !

Les éléments graphiques

Les visuels sont scannés et enregistrés au format GIF ou JPEG. Utilisez de préférence GIF pour créer de petites animations et JPEG pour les images contenant de nombreuses couleurs. Pensez à créer les boutons et les icônes.

Publier son site

Votre site est prêt à être mis en ligne. Pour le télécharger, votre fournisseur d'accès vous donnera l'adresse du site FTP où aller et l'adresse Web pour atteindre votre site une fois publié.

Mon site.fr

Faire connaître son site

Enfin, vous avez créé votre site ! Mais pour qu'il soit visité, il faut lui faire de la publicité : le déclarer aux moteurs de recherche, aux forums de discussion... N'oubliez pas de le mettre à jour régulièrement et de répondre aux questions de vos visiteurs.

Rédiger les textes

Les textes doivent être bien structurés par des titres et des sous-titres. La forme, la couleur et la taille des caractères choisis sont déterminantes pour le confort de lecture du visiteur. Le site doit être le plus agréable et pratique possible à consulter.

Le saviez-vous

Internet a introduit de nouveaux métiers : webmasters (responsables d'un site ou d'un serveur Web), net surfers (chassent et classent les sites dignes d'intérêt), animateurs de forums, qui créent et entretiennent les sites disponibles sur la Toile. Ce secteur connaît une très forte croissance. En juin 1998, 1 109 500 personnes travaillaient dans les nouvelles technologies : elles étaient 89 100 de plus en juin 1999 !

Vers le tout convergent

En ce début de troisième millénaire, le téléphone, Internet et la télévision fusionnent et vous invitent à entrer dans une nouvelle ère de télécommunications, celle du tout convergent.

La voiture

L'autoradio devient récepteur Internet (télévision, accès au Web), guide (localisation par GPS) et téléphone à travers des liaisons par ondes radio à haut débit. Les images s'affichent sur le tableau de bord et sur les écrans plats intégrés aux sièges.

En voiture

Tchin !

À l'extéri

Ecra

Aujourd'hui, les débits ne sont pas suffisants pour permettre une transmission en temps réel, mais le réseau devrait offrir cette possibilité dès le milieu de l'année 2000. Une nouvelle ère de télécommunication est née : celle du tout convergent.

Un protocole universel

Le constat est simple : puisque le numérique s'impose dans la télévision et la téléphonie, pourquoi ne pas les combiner avec Internet qui est, par définition, le support idéal pour la transmission de données numériques ? Mais pour que ces trois pôles soient réunis sur un seul terminal, il faut qu'ils utilisent un protocole unique. On s'oriente donc vers la généralisation de l'utilisation du protocole IP, qui offre l'avantage de la fiabilité grâce à la transmission par paquets.

La domotique

Le tout convergent révolutionnera également la domotique. France Telecom innove en proposant une « maison communicante ».

Mais la création d'une norme est indispensable pour dialoguer depuis son téléphone mobile avec ses appareils domestiques, son ordinateur central ou encore son agenda électronique.

La technologie Bluetooth permet de faire communiquer entre eux (dans un rayon d'une dizaine de mètres) différents appareils de télécommunication ou informatiques sans fil, par liaison radio. Demain, les objets communicants organiseront à notre place les tâches quotidiennes !

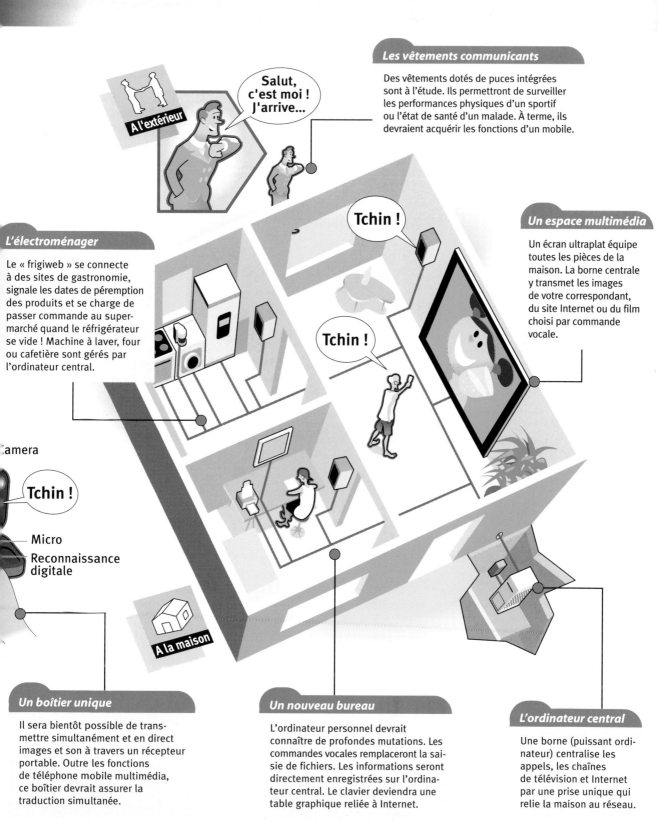

Les vêtements communicants

Des vêtements dotés de puces intégrées sont à l'étude. Ils permettront de surveiller les performances physiques d'un sportif ou l'état de santé d'un malade. À terme, ils devraient acquérir les fonctions d'un mobile.

Salut, c'est moi ! J'arrive...

A l'extérieur

Tchin !

Tchin !

Un espace multimédia

Un écran ultraplat équipe toutes les pièces de la maison. La borne centrale y transmet les images de votre correspondant, du site Internet ou du film choisi par commande vocale.

L'électroménager

Le « frigiweb » se connecte à des sites de gastronomie, signale les dates de péremption des produits et se charge de passer commande au supermarché quand le réfrigérateur se vide ! Machine à laver, four ou cafetière sont gérés par l'ordinateur central.

Camera

Tchin !

Micro
Reconnaissance digitale

A la maison

Un boîtier unique

Il sera bientôt possible de transmettre simultanément et en direct images et son à travers un récepteur portable. Outre les fonctions de téléphone mobile multimédia, ce boîtier devrait assurer la traduction simultanée.

Un nouveau bureau

L'ordinateur personnel devrait connaître de profondes mutations. Les commandes vocales remplaceront la saisie de fichiers. Les informations seront directement enregistrées sur l'ordinateur central. Le clavier deviendra une table graphique reliée à Internet.

L'ordinateur central

Une borne (puissant ordinateur) centralise les appels, les chaînes de télévision et Internet par une prise unique qui relie la maison au réseau.

Le don d'ubiquité

Le réseau performant et l'intervention de l'électronique ont aboli les notions d'espace et de temps. Je peux être simultanément ici et ailleurs et joindre n'importe qui de n'importe quel endroit de la planète.

Le téléphone a connu ces vingt dernières années des innovations beaucoup plus importantes qu'en cent ans d'existence. Ces progrès ont entraîné des modifications dans les usages.

En 1889, le théâtrophone offrait aux quelques centaines d'abonnés du téléphone la possibilité d'écouter un opéra chez eux. Ce service connut un succès considérable car il n'était plus nécessaire de se déplacer pour assister à un spectacle. Aujourd'hui, on assiste au mouvement inverse : on peut recréer un espace personnel dans un lieu public.

Une nouvelle liberté

Le succès de la téléphonie mobile s'explique en grande partie par la légèreté et la petite taille des appareils. Cette miniaturisation est le résultat des progrès effectués dans le domaine des circuits électroniques. L'invention du transistor en 1947 a révolutionné l'électronique, celle des circuits intégrés en 1959 a permis l'apparition des puces. À cette époque, les circuits électroniques

étaient très lents et consommaient beaucoup d'énergie car ils étaient composés de pièces indépendantes reliées entre elles par des conducteurs. Les ingénieurs conçurent alors un nouveau mode d'assemblage des composants électroniques : ils n'étaient plus montés les uns à côté des autres, mais fabriqués ensemble sur le même conducteur. Le circuit intégré était né. Depuis, la puissance des puces ne cesse de s'accroître. Elles peuvent aujourd'hui contenir plusieurs millions de composants (transistors, diodes, condensateurs et résistances) dans l'espace d'une tête de vis ! Et ce n'est qu'un début, puisque la puissance des microprocesseurs double tous les deux ans…

Être toujours joignable

Il faudra attendre d'hypothétiques progrès dans la téléportation pour que l'homme acquière un véritable don d'ubiquité, mais il a déjà la possibilité d'être présent en plusieurs endroits au même moment : sur sa messagerie vocale, au téléphone, sur son ordinateur…

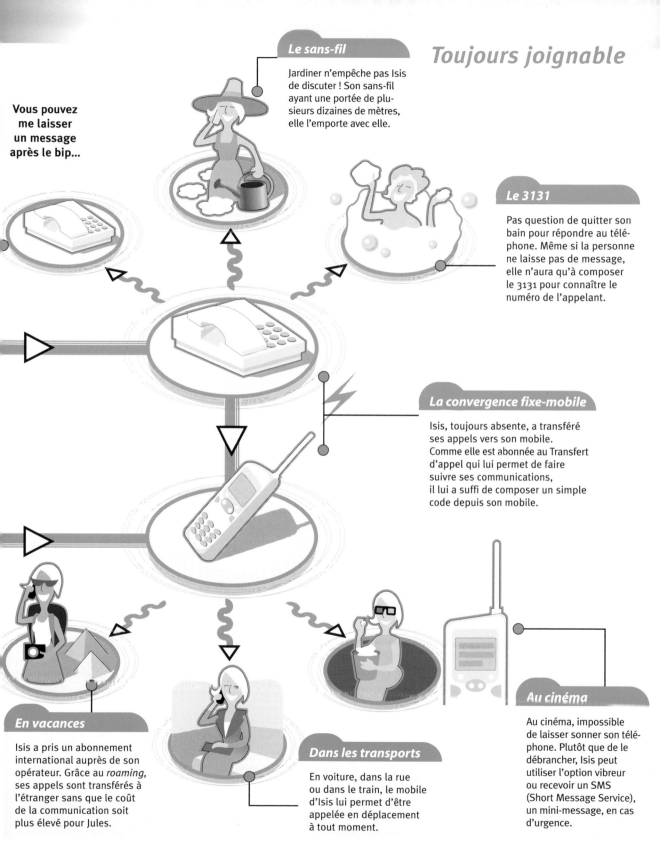

Vous pouvez me laisser un message après le bip...

Le sans-fil

Jardiner n'empêche pas Isis de discuter ! Son sans-fil ayant une portée de plusieurs dizaines de mètres, elle l'emporte avec elle.

Le 3131

Pas question de quitter son bain pour répondre au téléphone. Même si la personne ne laisse pas de message, elle n'aura qu'à composer le 3131 pour connaître le numéro de l'appelant.

La convergence fixe-mobile

Isis, toujours absente, a transféré ses appels vers son mobile. Comme elle est abonnée au Transfert d'appel qui lui permet de faire suivre ses communications, il lui a suffi de composer un simple code depuis son mobile.

En vacances

Isis a pris un abonnement international auprès de son opérateur. Grâce au *roaming*, ses appels sont transférés à l'étranger sans que le coût de la communication soit plus élevé pour Jules.

Dans les transports

En voiture, dans la rue ou dans le train, le mobile d'Isis lui permet d'être appelée en déplacement à tout moment.

Au cinéma

Au cinéma, impossible de laisser sonner son téléphone. Plutôt que de le débrancher, Isis peut utiliser l'option vibreur ou recevoir un SMS (Short Message Service), un mini-message, en cas d'urgence.

De plus, le réseau offre une simultanéité parfaite. En moins d'une seconde, on peut se trouver à l'autre bout du monde, alors que l'on n'aurait même pas eu le temps de sortir de chez soi.

On a aussi le choix d'éteindre momentanément son téléphone, de « filtrer » ses appels, de transformer la sonnerie en vibreur, bref, d'adapter son type de communication à son mode de vie. La vraie liberté que procurent les télécommunications, c'est celle de mettre à notre disposition des outils et un réseau fiables dès qu'on en a besoin, mais sans qu'ils envahissent notre intimité.

Les antennes paraboliques sont également utilisées dans le cadre du GPS.

Adieu l'isolement

Le réseau nous ouvre au monde en permettant à tous de communiquer, et surtout à ceux qui ont des difficultés à le faire. Car les améliorations technologiques ne seraient rien si elles ne se mettaient pas au service de l'homme, si elles ne lui facilitaient pas le quotidien.

En ce sens, les télécommunications modernes proposent un soutien important aux handicapés.

Avertisseur lumineux, amplificateur, appareils à grosses touches sont des supports techniques appréciables pour les malentendants, les malvoyants et les personnes âgées. Mais le meilleur moyen de rendre le handicap vivable, c'est de briser l'isolement. Le développement de l'Internet et du téléphone sans fil y contribue. Des handicapés physiques lourds acquièrent ainsi une nouvelle autonomie : ils peuvent vivre seuls, le téléphone leur permet de rester en contact avec leur équipe soignante et leur famille en

toute circonstance. L'isolement géographique tend également à se dissiper : le réseau couvre la quasi-totalité du territoire et le téléphone satellitaire devrait permettre aux quelques endroits encore privés de téléphone, en raison de leur inaccessibilité, d'y être reliés.

En 1907, une enquête révélait, à propos de l'arrivée du téléphone dans les campagnes : « L'impression de solitude et d'insécurité ressentie auparavant par les femmes d'agriculteurs disparaît. » Depuis sa création, le téléphone a bien été un média de sociabilisation.

Aujourd'hui, ce besoin reste identique, et le réseau permet de s'intégrer à une communauté plus importante, puisqu'universelle.

Vivre en sécurité

Mais le téléphone, s'il est d'abord un outil de communication, de discussion avec des êtres chers, est aussi un gage de sécurité. Qui n'a jamais offert un sans-fil à une personne âgée pour qu'elle puisse appeler les secours en cas de besoin, glissé un

mobile ou une carte de téléphone dans la poche de ses enfants lors de leurs premières vacances avec des amis au cas où…? Puisqu'on peut appeler de n'importe où, on peut prévenir les secours à tout moment, même dans des conditions très difficiles. On a tous en mémoire ces images d'alpinistes bloqués par la tempête et sauvés parce qu'ils avaient pu émettre un appel au secours depuis leur mobile en pleine montagne…

La maîtrise du risque et du danger est donc un enjeu majeur des télécommunications.

Le saviez-vous

À la fin de l'année 2000, l'ADSL sera dans toutes les villes de plus de 7500 habitants. Il est déjà disponible à Paris, Lyon et Lille. France Telecom a réussi à obtenir un débit suffisant grâce à cette technologie pour permettre à Internet d'arriver sur le téléviseur via le câble.

Le GPS (Global Positioning System)

Ce système de localisation a été conçu par les militaires américains en 1973 pour le guidage des missiles. Il a désormais de nombreuses applications civiles, telles la navigation maritime, aérienne ou l'orientation des randonneurs. Le GPS devrait dans quelques années équiper toutes les voitures et permettre de calculer des itinéraires en temps réel et d'éviter les embouteillages…

Les satellites

Les satellites GPS émettent en permanence un signal radio contenant un signal horaire (heure GMT) et un code d'identification. Ils sont situés à une altitude de 20 200 mètres.

La voiture

Elle est équipée d'un récepteur spécifique.

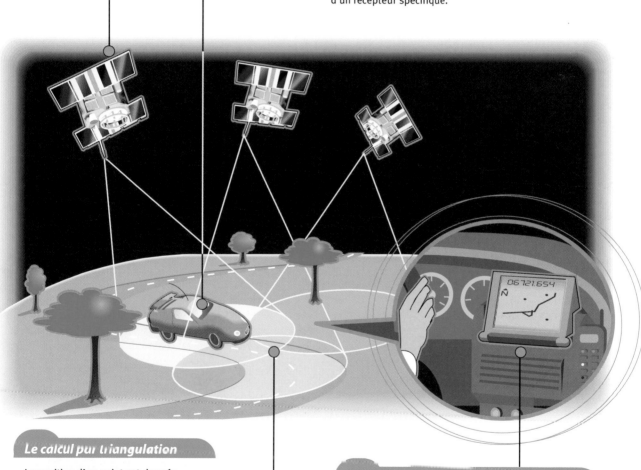

Le calcul par triangulation

La position d'un point est donnée en calculant la distance entre le récepteur et trois satellites servant de points de repère. La distance est calculée en fonction du temps que met le signal envoyé par les satellites à arriver au récepteur. Les données de chaque satellite sont regroupées pour donner la position exacte du point, à 10 ou 15 mètres près.

Le récepteur GPS

Il est généralement intégré au tableau de bord de la voiture, dans un angle de vision qui permet au conducteur de garder l'œil sur la route, de façon à éviter les accidents qui pourraient résulter d'une consultation trop prolongée de l'écran du GPS. De plus en plus de constructeurs se tournent vers les écrans plats couleur, plus lisibles que les écrans à affichage noir sur fond vert.

Travailler autrement

L'amélioration du réseau permet de s'affranchir de certaines contraintes du travail. L'espace bureau n'est pas seulement transporté au domicile, comme pour le télétravail, il devient presque virtuel.

Les télécommunications modernes ont contribué à la naissance d'une nouvelle conception du travail, le télétravail, et ainsi à une évolution des modes de vie. En laissant une relative liberté aux individus, elles leur procurent un « mieux-vivre » dans leur relation aux autres intervenants.

Une nouvelle conception de la réunion

Quel besoin de perdre du temps dans des voyages d'affaires, quand la visio-conférence, la conversation à trois ou même la réunion par téléphone proposent une rencontre simultanée de plusieurs personnes dans le monde entier ? La visioconférence est possible sur Internet mais aussi par le biais du téléphone. Il suffit aux participants d'être munis d'un terminal doté d'une caméra. Les images sont alors envoyées simultanément à la parole. L'augmentation des capacités du réseau offre également le multiplexage des lignes. On peut converser à trois à partir du même téléphone, mais aussi tenir des réunions avec un nombre illi-

mité de participants qui appellent un numéro spécifique à chaque entreprise. Les intervenants signalent leur arrivée dans la réunion téléphonique par un petit carillon. Les collaborateurs peuvent ainsi se réunir, même lorsqu'ils sont en déplacement.

Et si, lors d'une réunion, vous recevez un appel, vous pouvez choisir d'interrompre vos travaux ou non pour répondre à la personne dont le numéro s'affiche sur votre écran de téléphone.

Toujours en contact

L'intérêt de ces nouvelles méthodes de travail est de ne jamais perdre la convivialité et la richesse du contact au sein d'une entreprise.

Le téléphone de voiture a été un support efficace pour tous les professionnels itinérants : médecins, représentants, pompiers pouvaient être ainsi joints directement et rester en contact avec leur « base ». L'arrivée du téléphone mobile a modifié ces usages, car elle leur offre de multiples avantages : ils peuvent appeler et être joints presque partout et à tout moment, limiter leurs

visites à leur siège en recevant et en envoyant fax et e-mails depuis leur téléphone. Les travailleurs nomades ont accès au réseau Intranet de leur entreprise grâce à un mot de passe. Il leur suffit de se connecter sur Internet pour accéder à leurs fichiers, télécharger des dossiers, transmettre leurs comptes rendus à partir d'un ordinateur portable, etc. Téléphones, ordinateurs portables et assistants électroniques améliorent notablement les conditions de travail des itinérants qui devraient connaître des bouleversements avec l'arrivée des téléphones par satellite, supports idéaux du multimédia.

> **La salle d'opération**
>
> Le bloc opératoire est équipé d'une caméra vidéo et d'un micro qui transmettent images et son simultanément via Internet.
> Pour éviter un décalage important entre le moment où l'information est donnée par le chirurgien conseil et celui où elle est reçue par le chirurgien opérant, il est impératif de disposer d'une liaison numérique à haut débit (Numeris ou ADSL).

Opération à distance

Les télécommunications libèrent des contraintes géographiques et assurent un partage de savoirs en temps réel. Ce progrès, en médecine par exemple, réduit les différences d'accès aux soins.

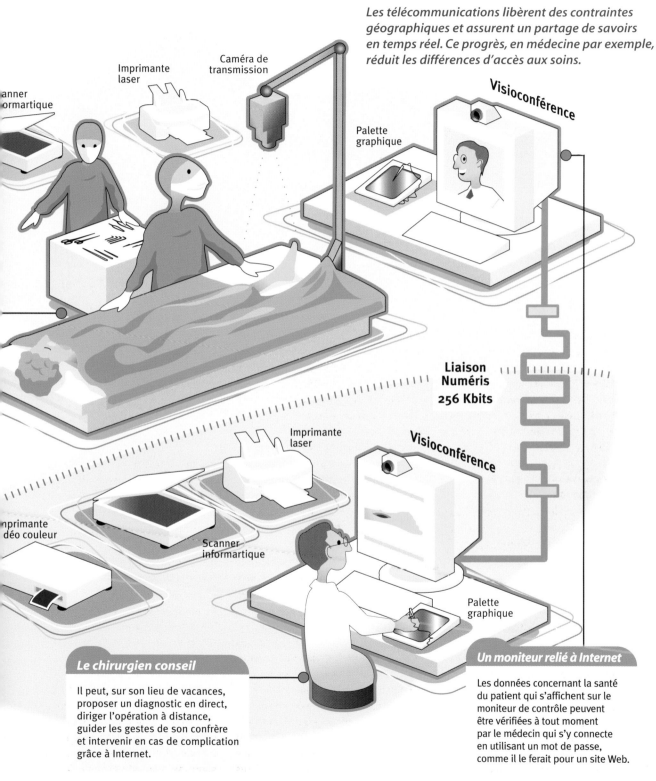

Imprimante laser

Caméra de transmission

anner ormartique

Visioconférence

Palette graphique

Liaison Numéris 256 Kbits

Imprimante laser

Visioconférence

nprimante déo couleur

Scanner informartique

Palette graphique

Le chirurgien conseil

Il peut, sur son lieu de vacances, proposer un diagnostic en direct, diriger l'opération à distance, guider les gestes de son confrère et intervenir en cas de complication grâce à Internet.

Un moniteur relié à Internet

Les données concernant la santé du patient qui s'affichent sur le moniteur de contrôle peuvent être vérifiées à tout moment par le médecin qui s'y connecte en utilisant un mot de passe, comme il le ferait pour un site Web.

Internet
en toute sécurité ?

L'essor des télécommunications pose inévitablement le problème de la confidentialité des données qui circulent sur le réseau.

L'ordinateur client

Une fois les produits choisis sur le site, le paiement s'effectue par carte bleue. Il suffit au client de taper son numéro de carte, et de donner son adresse physique ou Internet, selon le produit.

Certaines sociétés proposent en association avec des industriels du téléphone, du Web et du commerce électronique, des bouquets de services aux cyberconsommateurs.

Mais le tout convergent ne sera possible qu'à une condition : que les échanges sur Internet, en particulier le portage de données confidentielles telles qu'un numéro de carte bleue, de sécurité sociale, ou un dossier médical, soient sécurisés.

Programmes espions

On trouve sur le Net des petits programmes espions, appelés les « cookies », qui permettent de suivre le cheminement d'un internaute sur un site. S'ils peuvent constituer une atteinte à la vie privée, ils sont surtout un outil statistique très recherché des services marketing. Des sociétés se sont même spécialisées dans le commerce de ces données.

Il est toutefois possible de se protéger de la plupart d'entre eux en choisissant cette option dans le menu (dans les Préférences) de son navigateur.

Des pirates de génie

Internet a été conçu comme un lieu de liberté, mais il est à la merci de pirates, les *hackers*. Ces petits génies de l'informatique s'introduisent dans les réseaux internes des sociétés, trouvent leur mot de passe grâce à des programmes sophistiqués qui testent automatiquement des millions de codes différents.

Ils peuvent aussi saturer certains sites en les bombardant de messages *(spam)*. En février 2000, plusieurs grands sites américains (Yahoo, Amazon, eBay) ont dû interrompre leurs services pendant quelques heures à cause de cette « pollution » informatique.

Firewalls : la solution ?

Pour éviter ces désagréments, la majorité des entreprises utilisent un système de protection pour leur réseau Intranet. Les *firewalls* (« pare-feu ») sont des routeurs qui empêchent un incendie provoqué par des virus informatiques de se propager dans leur réseau. Ils vérifient également

la provenance des messages, leur destinataire et la validité du mot de passe s'il y a lieu. Mais, pour être efficaces, les *firewalls* doivent être mis à jour régulièrement.

Commerce en ligne

Aujourd'hui, il existe des modes de paiement sécurisés qui s'appuient sur des partenaires bancaires connus. Les produits les plus vendus en ligne sont le matériel informatique, les cédéroms, les CD, les cassettes vidéo, les vêtements, les voyages, etc.

Le cryptage des informations

Le moyen le plus utilisé pour sécuriser l'échange de données est le cryptage, ou codage, qui fonctionne comme un décodeur de chaînes de télévision payantes. La plupart des sites commerciaux proposent des paiements sécurisés, où votre numéro de carte bleue est protégé.

La clé de codage

Avant d'être transmise sur le réseau, cette information confidentielle est codée par une clé – un programme informatique qui transforme les chiffres du numéro de carte bancaire en une suite de symboles aléatoires. Chaque société possède sa propre clé. Ainsi, ce qui circule sur le réseau n'est compréhensible que si l'on connaît la clé utilisée.

Le réseau

C'est sur ce maillon faible de la chaîne qu'un *hacker* peut, lors de la transmission des données, essayer de « flairer » votre adresse IP et de remonter à sa source, c'est-à-dire à votre disque dur, sans que vous vous en rendiez compte.

Le serveur fournisseur

Le serveur de la société à laquelle vous avez passé commande effectue une opération de décodage grâce à la clé. Elle reconstitue alors le numéro de carte bancaire et peut débiter votre compte et livrer les produits.

On s'oriente aujourd'hui vers une nouvelle forme de paiement : intégrer un lecteur de carte bleue dans le terminal (téléphone ou ordinateur). Un mobile a déjà été commercialisé selon ce principe : on appelle le commerçant, on lui donne son numéro de téléphone qu'il confie à la banque qui se connecte au mobile. La procédure de règlement peut commencer, votre téléphone devient alors un terminal CB classique !

Trop de communication ?

Le tout Internet est un enjeu économique majeur pour les opérateurs téléphoniques et pour les médias. Les fusions entre opérateurs de téléphonie, télévisions ou groupes de presse s'accélèrent, créant ainsi de puissants pôles de communication.

42,3 %

39,37 %

2 Canada

5 États-Unis

Le réseau Internet a connu un développement sans précédent au cours de ces dernières années. Et ce n'est qu'un début. À court terme, on attend le Net sur les mobiles et la technologie du haut débit, qui permettra le transport de l'image et du son.

Discussion ou babillage ?

À l'origine, les communications téléphoniques mobiles étaient onéreuses. C'est pourquoi les utilisateurs ont pris l'habitude d'échanger des messages courts, très informatifs, réservant les longues conversations au téléphone de la maison.

Malgré la baisse du prix du téléphone, cette tendance reste très répandue. Mais ce mode de communication n'exclut pas la convivialité, il est même parfaitement adapté à une partie de la population, notamment les adolescents.

Internet rassemble les individus...

Dans les bars, les lieux de réunion, les facultés, les écoles ou les endroits où l'ordinateur est rare, Internet est un centre d'intérêt propice à la convivialité et au rassemblement des individus. Si cela est vrai dans les pays riches, ça l'est d'autant plus dans les pays défavorisés où il est fréquent que plusieurs dizaines de personnes se retrouvent autour du même écran.

...sans effacer les inégalités

Mais l'inégalité face aux télécommunications n'est pas qu'une question d'argent. Pour surfer sur le réseau Internet, il faut un certain acquis culturel et une capacité à intégrer les nouvelles technologies. Or, le faible taux d'alphabétisation et les mauvaises conditions de scolarisation, en particulier dans les pays du Sud, sont des obstacles majeurs pour l'accès à l'Internet.

L'enjeu pour les télécommunications par satellite est de rendre le téléphone accessible à tous.

Le club des dix

Les pays scandinaves sont de grands utilisateurs du Net. Si leur économie est prospère, leur réseau téléphonique reste peu développé. Ils trouvent dans Internet un allié sûr pour leurs échanges nationaux et internationaux, ainsi qu'un moyen de rompre leur isolement géographique, notamment pour l'Islande. L'Amérique du Nord combine deux atouts : c'est le lieu de naissance d'Internet et de la création de ses usages. Récemment, certaines nations, comme la Slovénie, ont marqué l'entrée des pays émergents dans l'ère des nouvelles technologies de l'information.

Les plus connectés

Parmi les pays les plus « connectés » à Internet, on trouve les pays scandinaves et l'Amérique du Nord.

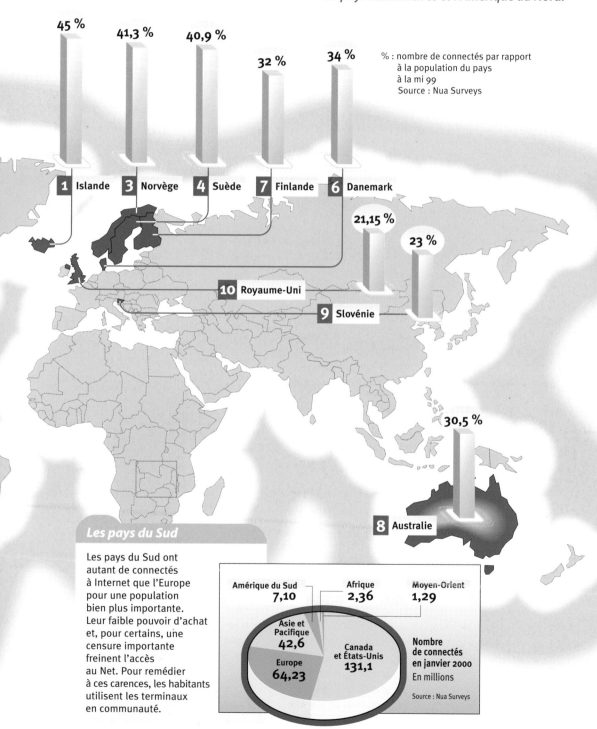

45 %   **41,3 %**   **40,9 %**   **32 %**   **34 %**

% : nombre de connectés par rapport
à la population du pays
à la mi 99
Source : Nua Surveys

1 Islande   **3** Norvège   **4** Suède   **7** Finlande   **6** Danemark

21,15 %   **23 %**

10 Royaume-Uni

9 Slovénie

30,5 %

8 Australie

Les pays du Sud

Les pays du Sud ont autant de connectés à Internet que l'Europe pour une population bien plus importante. Leur faible pouvoir d'achat et, pour certains, une censure importante freinent l'accès au Net. Pour remédier à ces carences, les habitants utilisent les terminaux en communauté.

Amérique du Sud **7,10**   Afrique **2,36**   Moyen-Orient **1,29**

Asie et Pacifique **42,6**

Canada et États-Unis **131,1**

Europe **64,23**

Nombre de connectés en janvier 2000
En millions

Source : Nua Surveys

45

Adresse URL (Uniform Resource Locator) : elle désigne l'adresse du site Web. Par exemple, http ://www. hachette. fr signifie que le site utilise le protocole http (le protocole spécifique du Web), que c'est un site Web (on reconnaît ses initiales) qui s'appelle Hachette et qu'il est français. Seuls le nom du site et l'extension changent, le début de l'adresse est constant.

Les extensions (ou noms de domaine) peuvent désigner le pays (.fr, .de, etc.) ou la nature du créateur du site (org. pour les institutions, .gov pour les organismes gouvernementaux, etc.).

Adresse e-mail : c'est l'adresse du compte e-mail, de la boîte aux lettres de l'utilisateur. Elle est reconnaissable à l'arobase (@) qui sépare le nom (ou pseudonyme) du client du nom de son fournisseur d'accès suivi d'une extension (.fr, .com, .net…).

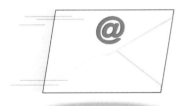

ADSL (Asymmetric Digital Subscriber Line) : technologie qui utilise la ligne téléphonique reliant l'abonné au central téléphonique et qui vise à atteindre un débit de plusieurs Mbits/s.
La paire cuivrée est munie d'un filtre qui distribue les fréquences entre Internet et le téléphone.

ATM (Asynchronous Transfer Mode) : technologie de réseau qui établit des connexions logiques et qui utilise des cellules de petite taille fixe pour transporter les flux d'informations.

Bande passante : capacité des « tuyaux » – câbles, satellites, réseaux de télécommunications de toute nature – à transmettre des informations, des données numériques.

Bit (contraction de Binary Digit) : information élémentaire valant 0 ou 1.

Bluetooth : technologie permettant de faire communiquer entre eux (dans un rayon d'une dizaine de mètres) différents appareils de télécommunication ou informatiques sans fil, par liaison radio.

Bps : unité de mesure du débit d'un canal de transmission indiquant le nombre de bits transmis en une seconde.

Chat : de l'anglais *to chat* (bavarder), aussi appelé IRC (Internet Relay Chat). Il permet d'échanger des messages en temps réel sur Internet. Le Chat permet aussi à plusieurs internautes de communiquer comme s'ils conversaient en direct.

Commutation : gestion des interconnexions entre émetteurs et récepteurs.

CNET : voir France Telecom R&D.

Débit : c'est la quantité de signal transmis par un support (câbles, fibres optiques, faisceaux hertziens…) ; elle est exprimée en bits par seconde.

Domotique : concept né avec le Minitel. Pour la première fois, on pouvait imaginer de gérer tous les appareils électriques de sa maison grâce à ce petit terminal.

Firewall : porte « coupe-feu ». Protection d'un réseau contre les intrusions extérieures.

Formats GIF et JPEG : ce sont les deux formats d'images usuels du Web.

France Telecom R&D : Centre de recherche et développement de France Telecom (ancien nom : CNET).

Fréquence : nombre de vibrations par unité de temps dans un phénomène périodique. Elle est exprimée en Hertz.

FTP (File Transfer Protocol) : protocole de transfert adapté aux gros fichiers.

GPRS (General Packet Radio Service) : nouvelle technologie qui permet d'accroître de façon significative les débits de transmission de données GSM.

GPS (Global Positioning System) : système de localisation par satellite d'un point grâce au calcul par triangulation.

GSM (Global System for Mobile Communications) : norme de téléphonie mobile numérique qui transporte des données à un débit de 9 Kbits/s et qui utilise les bandes de fréquence 900 ou 1 800 MHz.

Hacker : pirate qui infiltre les réseaux informatiques.

HTTP : protocole de transfert de pages web.

Hypertexte : système de représentation et de diffusion de l'information permettant de faire apparaître sous forme unitaire des documents dispersés sur différents sites d'un même réseau.

Intranet : réseau local privé fonctionnant sur le même principe qu'Internet.

Langage HTML (Hyper Text Markup Language) : langage utilisé pour créer des documents hypertexte destinés au Web.

Log-in : code d'accès attribué par le serveur du fournisseur d'accès à l'ordinateur connecté.

Minitel : le mot Minitel est la contraction de « Mini terminal téléphonique ».

Modem : contraction de modulateur-démodulateur. Boîtier qui permet de faire communiquer deux ordinateurs via une ligne téléphonique.

Navigateur : logiciel qui permet de télécharger, d'afficher les documents présents sur le Web et de naviguer parmi ces derniers.

Octet : mot informatique élémentaire, constitué de 8 bits. On compte le plus souvent en kilo-octets (Ko), méga-octets (Mo) et giga-octets (Go). Un octet permet de représenter un caractère.

Opérateur : entreprise qui fournit des services de commutation et l'accès à des réseaux.

Paquet : élément véhiculé dans un réseau de commutation par paquets qui contient l'information et les données utiles à son acheminement.

Portail (Portal Site) : porte d'entrée dans le monde du Web. Les sites portails sont des guides thématiques en ligne conçus pour aider les internautes dans leur recherche (exemple : Voilà).

Protocole : issu du grec *prôtokollon,* il désignait à l'origine une feuille volante collée en haut d'un parchemin qui comportait un résumé du manuscrit, son authentification et sa date. Dans le domaine des télécommunications, il s'agit d'un ensemble de règles régissant la communication entre des ordinateurs.

Roaming : service permettant à un abonné au téléphone mobile de faire transférer ses appels sur les réseaux étrangers.

Routeur : dispositif électronique assurant l'acheminement des paquets sur un réseau de l'émetteur au destinataire et établissant l'itinéraire de transmission optimal des données.

Satellite : un satellite de télécommunication est un relais radio dans l'espace qui permet d'échanger des signaux entre deux antennes placées sur la Terre.

SMS (Short Message Service) : fonction qui sert à envoyer ou à recevoir des messages courts sur un téléphone mobile.

TCP/IP : protocole de transmission de données par paquets utilisé dans le réseau Internet. TCP (Transmission Control Protocol) scinde un message en paquets, tandis que IP (Internet Protocol) leur attribue une étiquette contenant l'adresse de la destination de l'information, un « numéro » pour que le message soit finalement reconstitué dans l'ordre initial et le codage.

UMTS (Universal Mobile Telecommunications Service) : norme dite « de troisième génération mobile » qui permet d'atteindre un débit de 384 Kbits/s et à terme 2 Mbits/s. Elle donne accès à des services multimédias à haut débit : l'Internet rapide sur son mobile.

Usenet : système de forums de discussion répandu à l'échelle internationale.

WAP (Wireless Application Protocol) : protocole basé sur le protocole IP qui convertit les pages Web au format d'un écran de téléphone mobile. Son débit est de 9,6 Kbits/s, donc la réception de données sur mobile est encore lente.